싸가지 있는 부모의 자녀 양육법

싸가지 있는
부모의
자녀 양육법

발행	2023년 12월 25일
저자	최윤정
펴낸이	한건희
펴낸곳	주식회사 부크크
출판사등록	2014. 07. 15.(제2014-16호)
주소	서울특별시 금천구 가산디지털1로 119 SK트윈타워 A동 305호
전화	1670-8316
이메일	info@bookk.co.kr
ISBN	979-11-410-6167-8

가격	10,000원

CONTENT

작가의 말

"싸가지 있는 부모의 자녀 양육법"은 부모와 자녀 사이의 관계를 개선하고, 자녀가 건강하고 행복하게 성장할 수 있도록 돕는 가이드북입니다. 이 책은 부모가 어떻게 자녀를 지도하고, 어떻게 자녀의 성장을 지원할 수 있는지에 대해 다룹니다.

이 책은 부모가 자녀와 함께 성장하고, 자녀의 미래를 위해 최선을 다하는 방법을 제시합니다. 부모가 자녀에게 싸가지가 있는 모델이 되어, 자녀가 건강하고 행복하게 성장하도록 돕는 것이 이책의 목표입니다.

이 책은 부모가 자녀와의 대화를 통해 자녀의 감정을 이해하고 공감하는 방법, 자녀의 성장을 위한 목표를 설정하고 그에 맞는 지도 방법을 제공하는 방법 등을 다룹니다. 이를 통해 부모는 자신의 양육 방식을 개선하고, 자녀가 건강하게 성장하도록 돕는데 도움을 받을 수 있을 것입니다.

이 책을 통해 독자는 자신의 부모로서 해야 할 역할을 더욱 잘 이해하고, 자녀에게 더 좋은 영향을 미치는 방법을 배울 수 있을 것입니다.

01. 내 인생의 첫 무대 유치원

아버지 41살, 어머니 29살에 나를 낳았다.

부모님의 사랑을 기억하며 살아가는 방법은 사람마다 다르지만 나는아버지. 어머니의 따뜻한 사랑을 기억하고 있다.

부모님의 품은 나에게 안식처였으며 아버지 어머니는 나에게 늘 말씀하셨다. 받은 사랑과 지지를 다른 주변 사람들에게 전달해 주는 사람이 되라고. 어린 시절 주말이면 아버지와 많은 시간을 보냈다. 항상 나에게 무엇을 해볼까 하는 새로운 경험을 할 수 있는 도전정신을 심어주셨는데 그중의 하나가 자전거다. 두려움이 많은 나에게 자전거 타는 법을 가르쳐 주셨고 아버지와 대화를 나누며 시원한 바람을 가르는 것은 무척 즐거웠다.

그 순간들은 나의 성장과 배움을 위한 소중한 시간이었으며, 아버지의 사랑과 지혜가 나의 가슴 속에 더 깊이 남아 있다.

엄마와의 추억도 있다. 엄마와 시장가는 날이면 얼마나 신이 났는지 모른다. 시장을 가다 보면 떡볶이와 튀김을 파는 곳, 연탄불에 쫀드기를 구워 파는 구멍가게, 솜사탕을 파는 아저씨를 보는 것이 정말 재밌었다. 이 모든 것을 다 사주시는 날. 너무 행복했기에 아직도 기억이 생생하다. 가끔 부모님과 함께 지낸 행복했던 유년 시절이 주마등처럼 떠오르는데 그 받은 사랑은 나의 성장을 이끌었고 나를 더 강하게 만들어 주었다. 나는 서울에서 태어났다. 지금은 이곳 저곳에 아파트가 대다수지만 그 옛날 어린 시절 내가 살았던 곳은 마당이 있는 단독 집이었다. 내 기억에는 다가구 집들이 모여 있는 곳이었고 주변에는 집들이 많은 만큼 친구들도 많았다. 우리 집은 마당이 있는 동네에서 가장 큰 집이었다. 친구들이 우리 집에 모여 놀면서 잠을 자기에 충분했다.

또한 학교 놀이터에서 그네를 타고 하늘을 높이 날아오르며 친구들과 소리를지르고 달리기 시합을 하는 등 어린 시절 행복했던 추억이 생각난다.

엄마는 가족을 위해 1년이면 2~3차례 아주 잘 본다는 철학관 등 무속인을 찾아다니셨다. 그런데 정말 신기하게도 엄마는 5살인 나를 교회에서 운영하는 유치원에 보내셨단다. 그런 부모님 덕분에 유치원에서 작은 믿음의 신앙이 생겼고 어린 나를 이해하고 애정과 사랑으로 보살피신 선생님을 만났다. 따스한 성품과 항상 긍정적인 인간 관계를 유지할 수 있도록 기도로 보살피신 좋은 선생님. 유치원 시절은 나에게 추억이 너무 많다.

친구들과 함께 줄넘기, 고무줄놀이, 선생님이 들려주시던 동화 이야기, 친구들과 함께한 종이 인형 놀이와 가위, 색종이를 이용하여 만든 딱지치기, 제기차기, 땅따먹기 등 다양한 경험들이 생각난다.

또한 할머니를 비롯한 온 가족이 함께 유치원 소풍에 가서 맛있는

김밥과 별사탕, 과자 뽑기 등 재미있는 놀이를 즐긴 것이 특별한 추억으로 남아 있다. 유치원에서 처음 만난 담임 선생님은 친구들을 존중하고, 아이들의 특성에 차이를 이해하라고 가르쳐 주셨다. 일상생활에서의 행동으로 배려심과 친절함을 가르치고, 아이들의 감정을 이해하고 표현하는 방법 등도 알려주셨다. 사회적인 존재로서 기본적인 능력을 배우는 데 도움을 주신 선생님이셨다.

물론 유치원 생활이 좋은 추억만 있는 것은 아니다. 슬픈 일도 있었다. 내가 좋아했던 처음 만난 선생님이 어느 날 유치원에 등원했을 때 갑자기 사라진 일, 사랑하고 좋아하는 인형이 없어져 펑펑 울었던 일. 엄마와 함께하고 싶어 유치원에 안 가겠다고 떼를 썼던 일 등 참 다양한 기억들이 많다.

한 번은 동생과 함께 유치원 가면서 길에서 싸웠는데 동생이 집으로 돌아와 엄마에게 이야기했다. 그날은 크게 혼나서 종일 눈물로 보냈었다. 유치원 시절 나의 마음은 무지개 색깔의 감정과 경험으로 가득 차 있다. 그 중의 가장 슬픈 일은 유치원에서 친하게 지낸 친구가 다른 친구와 놀이를 하는 순간이었다. 어린 나는 우정은 순수하고 무조건 믿는 것이라 생각했다. 그 믿는 친구 때문에 눈물을 흘렸고, 외로움과 상처도 받았었다.

어느 날 새로운 선생님이 유치원에 등원하셨다. 머리가 길어서인지 공주처럼 예쁜 좀 새침한 선생님으로 기억한다. 내가 처음 경험한 첫 담임 선생님은 아이들의 감정을 잘 헤아려주지 못하셨고 아이들끼리 싸울 때 중재하는 역할을 잘 하지 못하셨다. 어린 내가 기억하는 그분은 좋아하는 아이에게만 일방적으로 편을 들어주는 공정하지 못한 선생님이셨다.

두 번째 만난 담임 선생님은 아이들에 마음을 잘 헤아려주시고 친구들의 감정을 인정해주신 선생님이다. 도움이 필요할 때 언제든지 다정하게 이야기하신 마음 따뜻한 선생님으로 나는 기억한다.

세상에 태어나 첫 무대인 유치원 시절.
따뜻하고 즐거운 추억도 있지만 슬프거나 힘들었던 기억들은 나의 성장과 발달에 큰 도움이 되었다.

어느덧 유치원 사회생활 3년 차 내 나이 7살이 되었다. 새로운 선생님이 누구일까? 기대하고 설레는 마음으로 엄마와 손을 잡고 유치원으로 아침 등원을 하였다. 선생님 중에는 얼굴도 예쁘고 말랐으며 피부가 하얀 젊은 선생님이 있었다. 우리 유치원에서 제일 예뻐서 모든 아이에게 인기가 정말 많았다.

나의 담임 선생님은 그 예쁜 선생님이 되길 어린 나이에 간절히 기도했다. 친구들과 신나게 교실로 들어가 담임 선생님을 기다리고 있었는데 교실 안으로 들어오시는 선생님을 보고 나는 엉엉 울기 시작했다. 엄마가 보고 싶다고 집에 가겠다고 유치원에서 떼를 쓰기 시작하였다. 유치원 선생님 중에 나이도 있고 뚱뚱하고 피부도 검은 선생님이 있었다. 평소에 그 선생님을 보면서 나의 담임이 안 되길 간절하게 어린 나이에도 기도했었다. 그런데 바로 그 선생님이 나의 담임이라고 하니 유치원이 정말 가기 싫어졌다. 집에 돌아와 엄마에게 다른 유치원을 보내달라고 울면서 졸라보기도 하고 떼를 써보기도 했지만, 엄마는 나의 이야기를 들어 주시지 않으셨다. 오히려 나에게 좋으신 훌륭한 사랑이 많으신 선생님이라고 설득하셨다.

내가 평소 얼굴도 못생겨 뚱뚱하다고 놀렸던 바로 그 선생님에게도 내가 싫어하는 감정이 전해졌나 보다. 그러던 어느 날 선생님이 성경 동화를 들려주는 데 정말 재미있게 읽어주셨다. 구체적인 내

용이 지금은 정확하게 기억나지 않는다. 그러나 지금까지도 그때 들었던 동화들의 핵심 메시지가 마음속에 깊이 새겨져 있다. 서로 사랑하고, 양보하며, 배려하라는 것이었다.

초등학교에 가기 전 유치원 마지막 담임 선생님께서는 내가 경험 해 보지 못한 평범하지 않으신 선생님이셨다. 많은 교사 중에 제일 나이가 많았다. 교사들과의 관계에서도 어려움이 있는 선생님이 있으면 두 손을 잡고 기도하시는 모습을 볼 수 있었다. 아이들이 놀이하다 싸움이 일어나면 따뜻하게 안아주시고 다친 친구들을 위해 기도하셨다. 점심 식사 시간이 돌아오면 아이들과 함께 재미있는 식사 기도를 가르쳐 주셨는데 그때부터 나에게 조금씩 작은 신앙의 열매가 자라기 시작한 것 같다.

가끔은 유치원에 가고 싶지 않은 날이 있었고 그럴 때마다 나는 엄마에게 배가 아프다며 꾀병을 부렸다. 급기야 유치원 담임 선생님께서 가정 방문을 오셔서 미소 가득한 모습으로 꼭 안아주셨다. 선생님께서는 작은 목소리로 이야기하시면서 "내일은 꼭 유치원에 와야 해. 친구들이 기다리고 있어." 라고 하시고 엄마와 인사를 나누고 가셨다. 그 모습이 머릿속에 선명하게 남아 있다. 7살 따뜻한 봄날 아침 햇살이 밝게 빛나고 있었다. 다행히도 비가 오지 않아서 코끼리반 친구들과 동물원 견학을 간다는 설레는 마음으로 통학 버스에 올랐다.

동물원에 도착하여 친구들과 무엇을 먼저 볼지에 대해 싸우기 시작했다. 어떤 친구들은 원숭이를 보고 싶어 했고 여자 친구들은 펭귄을 보겠다고 하고 나는 호랑이를 먼저 보겠다고 하며 다투고 있었다. 그런데 선생님께서 우리가 싸우고 있다는 것을 알게 되셨고 우리는 선생님께 혼날까 걱정을 하며 모두 선생님의 눈치를 보았다. 그러나 우리 선생님은 나지막한 목소리와 미소를 지으며 우리에게 다가와 "사랑하는 코끼리반 친구들, 우리는 이곳에 있는 모든 동물을 다 보고 갈 거예요." 라고 하시면서 모든 친구의 의견을 존중하고 배려해 주셨다. 그 순간 내가 우리 담임 선생님에게 배운 따뜻한 훈육이 오늘날까지도 나에 마음속에 남아 있다. 그것이 내가 성장하면서 계속 배우고 있는 중요한 가치라고 생각한다.

7살 나이에 만난 담임 선생님은 나와 친구들의 관계 속에서 싸움이나 다툼이 있을 때 달래주는 여러 가지 방법을 가지고 계셨다. 친구들의 감정을 어떻게 이해하고 존중하는지 알려주셨고, 놀이하며 벌어진 상황을 어떻게 개선할지에 대한 방법, 서로의 차이를 인정하고 그 차이를 존중하는 것이 얼마나 중요한지를 가르쳐 주셨다.

그러한 선생님의 긍정적인 생각이 아이들에게 좋은 기억으로 남았다. 친구들과 함께 스스로 문제를 해결해 나가는 능력을 알게 해주신 선생님. 그곳에서 나는 기본생활 습관뿐 아니라 사회적 기술도 배우며 성장해 나가고 있었다. 그 당시 어린 나는 예쁘고 날

씬하고 피부가 우윳빛처럼 예쁜 그런 담임 선생님을 바랬지만 뚱뚱하고 얼굴은 그리 예쁘지 않았던 나의 담임 선생님이 지금 시간을 돌려보면 최고의 선생님이라고 생각한다. 좋은 선생님은 많은 것을 의미할 수 있다. 아이들의 잠재력을 발견하고 그것을 끌어내고 지식을 전달하는 것도 중요하다. 하지만 아이들의 세상을 이해하고 그 안에서 자신의 위치를 찾을 수 있도록 돕는 선생님의 역할이 훨씬 더 중요하다.

나에게 담임 선생님은 솔직한 마음을 전달해도 믿음이 갈 정도로 마음이 솜사탕처럼 '달달' 하며 폭신한 선생님으로 기억된다. 나는 그런 최고의 선생님을 만났다. 외모는 별로였지만 마음은 천사 같았던 나에게 특별한 선생님으로 기억되었다. 나는 3년에 유치원 교육을 끝내고 엄마와 아빠, 할머니, 할아버지 동생이 참여하는 가운데 졸업식을 마쳤다. 선생님과 이별하는 것이 나에게는 큰 슬픔으로 남아 졸업을 한 것이 마냥 즐겁지만은 않았다. 내가 처음에 선생님을 못생겼다고 놀리고 뚱뚱하다고 놀리던 많은 일이 정말 죄송했다. 선생님과 헤어지는 것이 얼마나 슬펐는지 며칠 동안 집에서 많이 울고 그리워 했던 것 같다.

초등학교에 들어가 새로운 선생님, 새로운 친구들과 사귀는 기쁨을 맞이하였다. 초등학교 1학년 처음 만난 남자 담임 선생님…. 휴 얼굴은 울구락 불구락. 어린 나에게 덩치가 엄청나게 크게 느껴진 선생님이 나에게 두려움의 대상이었다. 내가 학교생활을 정말 잘 할 수 있을까? 저녁이 되면 아빠와 엄마에게 선생님이 무섭다고 울면서 잠이 들었다. 아침이 되면 엄마의 손에 이끌려 학교에 갔고 친구들과 운동장에서 뛰어 다녔다. 집에 돌아오면 엄마가 만들어 주신 간식을 먹고 밖으로 나가 줄넘기 고무줄 놀이 등을 하며 놀았다. 동네 친구들과 놀고 있으면 항상 밝은 미소로 맛있는 사탕과 과자를 주시는 아주머니가 계셨다.

어느 날 나는 그분이 우리 옆집에 살고 있다는 것을 알았다. 그런데 일요일이 되면 가족 모두가 성경책을 들고 교회에 가는 모습을 종종 볼 수 있었다. 여름이었다. 이곳 저곳에선 여름 성경학교를 시작한다는 북소리와 함께 많은 선생님께서 사탕과 과자, 초청장을 들고 동네를 돌아다니며 아이들을 전도하고 계셨다. 나는 북소리와 찬양 소리를 들으며 골목 골목을 친구들과 따라다니며 신나게 노래를 불렀던 기억이 난다. 전도 축제를 따라다니다 집에 가는 것도 잊어버려서 엄마가 나를 찾으러 온 동네를 돌아다녔던 일도 있었다. 그러나 그 당시 나에게는 여러 교회에서 여름성경학교를 알리는 북소리 음악 소리가 주말마다 들렸고, 동네잔치 처럼 느껴졌다.

어느 날 우리 옆집 아줌마가 나와 나이가 같은 여자아이와 함께 집에 놀러 오셨다. 나는 새로운 친구가 우리 집에 온 것이 너무 좋았다. 내 방을 자랑하고 싶어 데리고 와 종이 인형 놀이를 하며 신나게 놀았다. 밖에 거실에서 엄마와 아줌마의 작은 소리가 들렸고 그 소리가 뭔지 어린 나는 궁금해 귀를 쫑긋했다. 자세히 들어보니 돌아오는 토요일 아주머니가 다니는 교회에 여름 성경학교를 시작하니 나를 교회로 데리고 가시겠다는 이야기였다. 나는 방에서 뛰어나가 새로 사귄 친구와 아주머니를 따라 교회에 가겠다고 이야기를 하자 엄마는 여름 성경학교에 가라고 허락을 해주셨다.

다음날 부터 하루하루 학교에 다니며 토요일이 되기만을 기다렸다. 토요일 아침, 우리 집에 딩동 벨소리가 울렸고 나는 집에서 나와 아줌마와 함께 처음 염리교회라는 곳에 들어갔다. 교회 안 작은교실에는 유년부실이라고 쓰여 있었다. 여름 성경학교에 처음 온 친구들은 나 혼자가 아니라 많은 아이가 있었고 그곳에서 하나님의 말씀이라는 것을 들어보았다.

학교 생활처럼 딱딱하고 정돈된 느낌은 아니었다. 교실이 있고 좀 더 자유롭게 친구들과 편하게 장난을 치고 노래도 부르고 율동도 배우며 성경 공부를 하였다. 집에 돌아와 엄마에게 정말 재미있는 곳이라고 열심히 자랑하고 다음 날 일요일 교회를 또 가겠다고 말을 하였다. 엄마는 아빠와 함께 좋은 말씀 많이 해주는 곳이라고 하시며 교회 가는 것을 반대하지 않으셨다.

교회도 담임 선생님이 있었고, 교장 선생님이 아닌 목사님, 전도사님이라는 분들이 계셨다. 나는 목사님의 설교 말씀과 담임 선생님의 성경 공부를 듣고 교회 놀이터에서 친구들과 놀다, 저녁이 되면 담임 선생님이 집으로 데려다 주셨다. 이제 매주 일요일이 되면 교회 가는 일이 나에게 즐거움이 되었다. 나는 친구들 사이에서도 샘이 많은 뭐든 최고가 되는 것을 좋아하며 항상 사람들에게 사랑과 관심을 받고자 하는 아이였다. 그래서 교회에서도 무엇이든 내가 먼저 하고 싶어 했고 친구들에게 양보하는 것을 싫어해서 그것으로 인한 다툼도 있었다.

어느 날 교회에서 큰일이 생겼다. 크리스마스 연극에서 나는 주인공이 되고 싶었는데 다른 친구가 주인공이라는 이야기를 듣고 화가 나서 친구를 크게 다치게 한 일이 있었다. 그 일로 엄마는 교회로 달려오셨고, 내가 다치게 한 친구 부모님에게 엄마는 죄송하다고 말씀하시며 나를 야단치는 일이 생겼다.

그때, 따스한 미소로 다정하게 오셔서 나를 안아주시는 분이 있었는데, 전도사님이셨다. 함께 싸운 친구와 나를 안아주시며 "누구의 잘못인지 중요하지 않아요." 라고 말씀 하시고 그날 우리에게 사랑과 용서에 관해 이야기를 해주셨다.

나는 선생님의 말씀을 듣고, 깊은 생각을 하였다. 그리고 그 다음
날 친구에게 용서를 구하고, 우리는 다시 친구가 되었다.

교회에서 자연스럽게 사랑에 대한 가치관을 배울 수 있었는데 자
신을 사랑하고 심지어는 "나를 힘들게 하는 것도 사랑해라" 라는
말은 지금도 나를 성장하게 하는 원동력이 되었다.

내 마음속에는 어려서 만난 유치원 선생님과 교회 주일학교를 다니며 만난 선생님의 영향이 크다. 그분들의 가르침 덕에 선생님이란 아이들의 세상을 이해하고 항상 도움을 주시고 나의 궁금증을 해결해 주시며 새로운 것을 탐구하는데 도움을 주시는 분으로써 선생님에 대한 좋은 가치관이 형성되었다.

나는 사회인이 되기 전 수많은 선생님을 만나고 헤어지기를 반복했다. 그중 머릿속에 남는 선생님은 유치원 선생님과 교회학교에서 만난 선생님 중고등부 전도사님으로 기억한다. 중고등 사춘기는 어렵고 혼란스러운 시기. 그때 나는 세상에 대해 많은 것을 이해하지 못하고, 어떤 길을 가야 할지도 모르고 방황하고 있었다. 하지만 그럴 때마다 나를 이끌어준 것은 교회의 전도사님 이었다.

전도사님은 항상 나에게 좋은 말을 해주셨고 그말들은 나의 마음속에 큰 힘이 되었다. 나에게 길을 알려주고, 나를 바른길로 갈 수 있도록 해 주셨다. 또한 세상을 이해하는 방법을 가르쳐 준 것도 교회라는 곳이었고 전도사님 덕분에 사춘기를 잘 이겨내고 성장할 수 있었다.

교회에서 내가 배운 말씀은 지혜와 사랑, 그리고 나에게 전해준 좋은 말들은 나의 인생에 큰 영향을 미쳤다. 덕분에 나는 오늘의 내가 될 수 있었다. 이기적이고 욕심이 많았던 나는 무엇이든 최고가 되려는 강한 성격이었다. 주일날 전도사님이 학생들에게 전해주는 말씀은 마치 선한 영향력처럼 나에게 힘을 주었다. 그 덕분에 나는 바른길로 걸어갈 수 있었고, 이기적이고 욕심 많은 성품을 개선할 수 있었다. 나도 모르게 스스로 좋은 사람이 되려고 노력하고 있었다. 교회에 가게 되면 매주 전도사님께 듣는 설교는 용서의 가치였다. "용서는 강한 사람의 특징이며, 참된 평화를 이루는 방법이다." 그 말을 처음 들었을 때, 나는 그 말의 진정한 의미를 이해하지 못했다. 하지만 시간이 지나면서 나는 그 말의 진실성을 깨닫게 되었다. 다른 사람의 실수를 용서하는 것이 얼마나 중요한지를 깨달은 것이다. 그러한 경험으로 나는 고등학교 시절 더욱 평화롭게 살아갈 수 있게 되었다.

어떤 선생님을 만나느냐에 따라 꿈이 달라진다. 내가 만난 선생님은 단순히 지식을 전달하는 것이 아니라, 우리에게 인생의 가치와 중요성을 가르쳐주었다. 선생님의 말씀 한마디 한마디가 등대처럼 내 인생을 밝혀주었다.

나는 아이들을 가르치는 교사로서의 꿈을 꾸게 되었다. 나의 꿈은 시간이 흐를수록 더욱 선명해졌고, 나는 그 꿈을 이루기 위해 노력하기 시작하였다. 교사는 아이들에게 지식을 가르치는 것뿐만 아니라, 사회에서 따뜻한 마음과 필요한 인성을 갖출 수 있도록 돕는 것이라고 배웠다.

아이들에게 다른 사람의 감정을 이해하고 존중하는 방법을 가르쳐주어야 하며, 문제를 해결하는 방법과 협력하는 방법을 가르쳐주어야 한다. 그리고 가장 중요한 것은 아이들이 자신의 잠재력을 발견하고, 그 잠재력을 최대한 활용할 수 있도록 돕는 것이 교사의 역할이다. 그래야 자신의 삶과 타인의 삶을 향상시킬 수 있는것이다. 나는 교사로서 계속 배우고, 아이들에게 특별한 교사가 되기 위해 열심히 노력하고 준비했다.

[제2화] 아이들을 통해 바라본 세상
01. 아이들의 소중한 외침, 엄마 아빠 사랑해요

첫 출근날, 나는 설렘과 기대로 가득 차 있었다. 새로운 시작, 새로운 도전, 그리고 5세 아이들의 담임교사로 새로운 책임감이 나를 기다리고 있었다. 유치원 교사로서의 첫날, 그리고 토끼반 아이들을 처음 만나는 날이었다. 우리 반 아이들을 처음 만났을 때의 눈빛은 호기심과 흥분으로 가득 차 있었다. 우리 반 친구들의 웃음소리와 흥분한 모습을 보며, 나는 그 순간을 영원히 기억하고 싶었다. 우리 반 아이들은 나에게 새로운 세상을 열어 주었고, 나는 그들에게 좋은 교사가 되어 주겠다고 다짐했다.

첫날부터 아이들과 함께하는 시간은 나에게 즐거움과 행복을 가져다주었다. 그 첫날을 시작으로 나는 우리 반 아이들과 즐겁고 행복한 1년을 꿈꾸며 정신없는 하루를 보냈다. 집에 와서는 아이들의 순수함, 창의성, 그리고 사랑을 나누어 줄수 있는 특별한 아이들로 성장시키겠다는 다짐을 하며 잠이 들었다.

나의 유치원 생활 중에 다양한 아이들을 만나게 되었는데 그중에서 특히 기억에 남아 있는 아이 '한서'가 있다. 한서는 장난치지도 않고, 다른 친구들과 놀지도 않았다. 자신만의 세계에 빠져 있었다. 눈빛은 항상 어딘가를 바라보고 있었고, 표정은 깊은 생각에 빠져 있는 듯 보였다. 한서는 조용히 앉아서 그림을 그리거나, 책을 읽거나, 혼자서 무언가를 만드는 데 매우 집중하지 못하고 산만했다. 한서는 자폐성 스펙트럼에 속했다. 처음 그 아이를 만났을 때, 나는 한서의 세상에 들어가는 것이 어려우리라는 것을 알았다. 그러나 나는 한서를 이해하고, 그 세계에 들어가려고 노력했다. 한서와 함께 시간을 보내면서, 나는 조금씩 이해하게 되었다. 아이는 말로 표현하지 않아도, 행동과 표정을 통해 감정과 생각을 나에게전달해 주었다. 초임 교사로서 자폐성을 가진 한서와 처음으로 교감하려고 했을때 많은 어려움을 겪었다. 다른 아이들과 다르게, 자신만의 방식으로 세상을 이해하고 있었기에 노력했지만, 그 과정은 쉽지 않았다. 행동과 표정을 주의 깊게 관찰하고, 말로 표현하지 않아도, 감정과 생각을 나에게 전달해 주었다.

또한, 나는 한서와 소통 방법을 찾아가려고 노력했다. 소통하는 것이 어려웠기에, 그림이나 음악 등 다른 방식으로 그 아이와 소통하려고 노력하였다. 나에게 한서를 만난 경험은 큰 교훈이었고, 인내와 이해, 그리고 사랑의 중요성을 가르쳐 주었다. 자폐성을 가진 한서. 유치원에 등원하면 항상 큰 소리로 "엄마. 아빠 사랑해 사랑해." 라고 부르며 뛰어다니는 것을 자주 볼 수 있었다. 한서 부모님께서는 매일 등원할 때 "사랑해 오늘도 잘 지낼 수 있지? "라며 늘 안아주었다. 1학기를 마무리하며 나는 한서 부모님과 면담을 하게 되었다. "우리 한서는 세상을 조금 다르게 바라보지만, 눈빛 속에서는 순수한 호기심과 무한한 가능성이 반짝여요. 자폐성을 가지고 있지만, 우리 가족에게는 특별한 보물 입니다. 또한 한서는 다른 의사소통은 어렵지만 엄마. 아빠 사랑한다고 외치는 소리는 얼마나 또렷하게 말하는지 몰라요."라고 하며 눈가에는 눈물이 입에는 미소가 가득한 얼굴로 부모님은 말씀하셨다. 상담 후 나는 한서를 좀 더 이해하고 사랑하는 모습을 긍정적으로 표현 하고자 다짐했던 기억이 난다.

02. 아이와 엄마, 둘의 다름과 그 안의 특별함

7살 친구들과 함께 생활하면서 엄마와 아이에 성격 차이로 양육의 시행착오를 겪는 부모님의 이야기를 하려고 한다.

7살 여자아이는 자유분방하고 호기심 많은 아이로, 항상 새로운 것을 탐구하는 것을 즐긴다. 반면에 그 아이의 부모는 계획적이고 조심스러운 성격이다. 그 아이는 늘 유치원을 올 때 엄마와의 싸움과 울음으로 매일 아침 등원을 하였다. 그 아이의 부모님은 항상 아이의 마음을 헤아리지 못하고 부모님 마음대로 양육하려고 했다.

예를 들면, 아침 유치원 등원 길에 강아지를 발견하고는 그것을 사달라고 소리치며 엄마에게 떼쓰며 길거리에 그냥 누워버리는 일 등. 무언가 엄마에게 불만이 많이 있다는 것을 그 아이의 방법으로 표현하는 것 같았다. 그 아이는 유치원에 오면 얼마나 모범적인 행동을 하며, 선생님과 친구들로 부터 항상 칭찬받고 모든 아이에게 친절하고 따뜻하게 대하는 착한 아이였다. 그런데 아침 등원 길, 오후 하원길 엄마 얼굴만 보이면 그 아이에 행동은 예상하지 못한 모습으로 바뀌는 것이다.

말로 표현하는 것보다 행동으로 감정을 표현하고, 그것으로 인해 때로는 그 엄마는 화를 참지 못해 유치원 앞에서 아이를 데려가지 않은 적도 있었다. 그 뿐만 아니라 아이를 교사들이 있는 가운데 체벌하는 모습도 여러 번 보았다.

너무도 다른 엄마와 딸 사이, 나의 유년 시절을 돌아보며 우리 엄마와 나는 성격이 매우 달랐다. 하지만 우리 엄마는 나의 감정과 생각을 이해 하려고 노력해 주셨고, 존중해 주셨다. 그 과정에서 엄마와 부딪침도 있었지만, 엄마도 나도 서로의 성격을 이해하고 서로 다른 부분을 점차 개선하려고 노력하셨다. 나를 돌아보며 내가 가르치고 있는 그 아이와 부모님의 문제점이 무엇인지 고민하기 시작하였다.

그 아이와 엄마와의 관계를 회복시키려는 사명감으로 지혜를 달라고 기도했고, 무언가 나에게 확신이 생겨 그 아이 부모님에게 면담요청을 드렸다. 그 아이의 부모님은 나를 보는 순간 짜증을 내는 목소리로 힘들다고 하면서 나와는 성격이 너무 다른 아이라고 한숨을 쉬시는 것이다.

부모님과 이야기를 하며, 어머님 아이와 좋은 관계를 유지하기 위해 어떤 노력을 하고 계시는지 물어보았다. 조용히 침묵이 흐리고 갑자기 부모님은 울기 시작했다. "나는 아무 노력을 하지 않았습니다. 그냥 나와는 너무 다른 성격을 갖고 있고, 우리 아이가 무엇을 원하는지 알려고도 안 했습니다."라고 하시며 계속 울기만 했다. 나는 어디서 나오는 자신감인지 모르지만, 어머님께 당당하게 얘기했다. "그 아이의 성격과 행동을 이해하려고 노력해 보세요. 아이가 행동이나 반응이 왜 그런지를 이해하고 노력하며, 아이의 관점에서 세상을 바라보려고 노력해 보세요. 아이와의 소통은 매우 중요합니다. 일상적으로 대화를 통해 아이의 생각이나 감정을 듣고, 함께 감정을 공유하세요. 또한 아이의 의견을 존중하고 아이가 결정하는 대로 도움을 주려고 노력한다면 어머님의 아이는 점차 변화되는 모습을 보게 될 겁니다." 라고 하니, 그 아이의 엄마는 변화되기 시작했다. 아침 등원 길 동네를 시끄럽게 했던 우리 반 아이의 울음소리가 들리지 않았고, 엄마와 손을잡고 즐겁게 등원하며 엄마를 꼭 안아주기까지 하는 모습을 보였다.

이러한 노력 덕분에, 엄마와 아이 사이의 관계는 점차 개선되었고, 더욱 행복한 생활을 하며 무사히 유치원 졸업을 했던 기억이 난다.

03. 평범함 속에 숨은 특별한 아이들

유치원 선생님으로 매일 나는 다양한 아이들과 만난다. 그들은 각자의 방식으로 세상을 보고, 평범한 아이지만 특별한 빛이 있다. 매일 아침 나의 하루는 아이들의 웃음소리로 시작한다.

무엇이 궁금한지 수많은 질문과 무한한 상상력의 아이들을 볼 때 나는 놀란다. 우리 반 아이들은 세상을 그들만의 방식으로 이해한다. 그 아이들은 작은 것에서도 큰 기쁨을 찾고, 복잡한 것을 간단하게 해석한다. 아이들의 눈에는 항상 세상에 대한 깊은 호기심과 무한한 가능성을 느꼈고, 나는 이 아이들이 바라보는 세상을 더욱 아름답게 만들어 주려고 노력하였다.

아이들이 친구들과 다양한 놀이를 경험하고 놀이를 통해 실패를 위로하며 이 아이들에게 꿈을 지지해 주는 교사가 되려고 말이다. 평범한 아이들이지만, 우리 반 아이들은 나의 삶에 큰 영감을 주는 특별한 아이들이다. 나는 이 아이들로부터 더 많은 것을 배운다. 아이들은 나에게 세상을 더 넓게, 더 깊게 보는 법을 가르쳐 준다. 얼마나 놀랍고, 얼마나 가치 있는지를 보여준다. 아이들이 세상을 알아가는 과정을 돕는 것이 내 일이다. 나는 이일이 자랑스럽다.

아이들은 나를 더 좋은 교사로, 더 좋은 사람으로 성장하게 했다. 평범한 아이들이지만, 나의 삶에 특별한 의미를 더해주는 아이들. 이 아이들이 있어서 나는 너무 행복하다.

유치원. 어린이집 교사들 에게는 예상치 못한 위기들이 온다. 그날
은 여느 때와 다름없는 평범한 날이었다. 아이들은 그림을 그리고,
노래를 부르며, 놀이터에서 뛰어노는 모습이 보였다. 나는 아이들의
웃음소리가 너무 좋았다. 점심시간이 되자, 아이 중 한 명이 갑자기
열이 나기 시작했고, 얼굴은 창백해지며, 몸을 움츠리고 있었다. 나
는 너무 당황했다. 하지만 그 순간 교사의 책임을 다해야 했다.

먼저 다른 아이들을 안전한 곳으로 이동시킨 후, 열이 많이 나는
아이에게 다가가 아이의 상태를 확인하고 안심시켰다. 부모님에게
바로 전화를 걸어 도착할 때까지, 그 아이의 곁을 지켰다. 아무리
잘 계획된 날이라도, 예상치 못한 위기는 언제든지 발생할수 있다.
그러나 그 위기 속에서도 교사는 아이들을 지키고, 안전을 제공해
야 한다. 그날 이후로, 나는 항상 준비된 마음으로 아이들과 함께
했고, 문제를 지혜롭게 해결해 나가는 교사로 성장해 갈 수 있었다.
교사로 일하면서 가장 어려웠던 상황은 아이들 사이에서 발생하는
갈등을 해결하는 것이다. 아이들은 아직 사회적인 기술을 완전히 배
우지 못했기 때문에, 때때로 그들 사이에서 갈등이 발생한다.

한번은 두 아이가 같은 장난감을 가지고 심각한 갈등을 보였다. 나
는 그들에게 차례를 기다리는 것의 중요성과 타인을 존중하는 것에
대해 천천히 나지막하게 알려주었다. 그 과정은 쉽지 않았지만, 그런

일을 해결해 나가는 것 하나 하나가 나를 성장시켰다. 엄마·아빠로 처음 부모가 되어 자녀를 양육하는 과정에서 예상치 못한 위기는 많이 찾아온다. 첫 아이의 탄생은 나에게 새로운 세상의 문을 열어주었다. 아이의 첫 울음 소리는 나의 삶에 새로운 장을 시작하게 되었고, 그 새로운 장은 예상치 못한 위기로 나를 종종 몰아갔다. 어린 영아는 잠을 편하게 이루지 못한다. 계속 울고, 그 이유도 잘 몰라 부모를 당황하게 하고 힘들게 한다.

부모가 되면서 가장 큰 어려움은 아이의 울음을 이해하고, 그에게 필요한 것을 제공하는 것이다. 내 아이에 울음의 원인을 알아내는 것은 정말 어려웠지만, 점차 아이의 다양한 울음소리와 그에 따른 필요성을 이해하는데 익숙해졌다.

아이의 울음에는 배고플 때, 잠잘 때, 불편함을 느낄 때 울음소리를 내는 것이 모두 다르다. 처음 부모가 되면서 우리 아이의 울음소리를 빠르게 이해하고 적절히 대응하는 것이 힘들었지만 시간이 지날수록 할 수 있게 되었다. 또한 아이가 자라면서 아이와의 의사소통 방법을 배우는 것도 부모의 역할이다. 아이의 감정을 이해하고, 나의 감정을 표현하는 방법을 찾아내는 것은 시간이 오래 걸렸지만, 이 과정을 통해 아이와 더욱 깊은 관계를 맺을 수 있었다.

부모로서 책임감을 가지는 것이 중요하다. 아이를 위해 최선을 다하고, 아이의 성장을 지원하는 것은 어려움을 극복하는 데 큰 도움이 된다.

부모는 아이의 첫 선생님이다. 세상을 어떻게 바라볼지, 사람들과 어떻게 상호작용 할지, 어려움을 어떻게 극복할지 가르쳐야 한다. 부모는 아이의 성장을 지원하고, 아이의 잠재력을 발견하려는 역할을 해야 한다. 이 모든 것들은 부모가 아이의 성장을 돕는 중요한 역할이다. 부모의 사랑과 지원, 그리고 가르침은 아이가 성장하고, 성공하며, 행복한 삶을 살아가는 매우 중요하다고 할 수 있다.

[제3화] 신뢰받는 리더로 성장시키기 위한 기본 원칙

01. 열린 마음으로 소통하며 리더십 키우기

부모로서 자녀를 성장시키는 것은 매우 중요한 일이다. 자녀가 세상을 탐색하고, 새로운 경험을 쌓으며, 자신의 잠재력을 발견할 수 있도록 지원하는 것이 부모이다. 이를 위해서는 우리는 자녀에게 신뢰를 줘야 한다. 아이는 부모를 믿고, 솔직하게 이야기할 수 있도록 해야 한다.

첫 번째, 부모는 자녀에게 스스로 문제를 해결하고, 자신의 의견을 표현할 수 있도록 돕는 것이 중요하다. 이를 위해서는 부모가 자녀의 의견을 존중하고, 그들이 스스로 결정할 기회를 제공해 주어야 한다. 이를테면 자녀들이 학교에서 어떤 과목을 선택해야 할지 고민하고 있다고 생각해 보자. 부모가 아이의 의견을 존중하고, 아이가 스스로 결정할 기회를 제공한다면, 아이는 자신이 진정으로 관심 있는 과목을 선택할 수 있을 것이다. 아이가 어떤 과목을 선택하든, 부모가 항상 지지한다면, 아이가 자신의 의견을 표현하고, 스스로 결정하는 능력을 키울 수 있을 것이다.

두 번째, 부모는 자녀에게 자신의 감정을 이해하고, 표현하는 방법을 가르치고, 다른 사람들과의 대화에서 자신의 감정을 표현할 수 있도록 지원해 줘야 한다. 만약 내 아이가 친구와의 갈등을 겪을 때, 부모는 아이에게 자신을 표현하는 방법을 가르칠 수 있다. 부모는 아이에게 "너가 친구에게 어떻게 느꼈는지 말해주는 것은 중요해. 너의 감정을 표현하는 것은 너를 이해하고 존중하는 데 도움이 될 거야" 라고 말하면서, 아이가 다른 사람들과의 대화에서 자신을 표현할 수있도록 이야기 해주는 것이다.

세 번째, 부모는 자녀에게 긍정적인 태도를 보이도록 도와주고, 스스로 어려움을 극복하고, 성공을 이룰 수 있도록 도와주어야 한다.

네 번째, 부모는 자녀에게 다른 사람들과 함께 협력하는 방법을 배울 수 있도록 지원해줘야 한다. 그러기 위해서는 다양한 경험을 제공해야 한다. 예를 들어 부모는 아이에게 사회봉사 활동에 참여하도록 유도한다. 사회봉사는 다른 사람들과 함께 협력하여 더 큰 목표를 이루는 경험을 제공하는 것. 아이가 사회봉사를 통해 다른 사람들의 도움을 받고, 함께 문제를 해결하는 과정을 경험하면서, 협력과 공동체 의식을 배울 수 있다.
또한, 가족 여행이나 친구와의 모임을 통해 아이에게 다른 사람들과 협력하는 경험을 제공할 수 있다. 가족 여행이나 모임에서 아이는 다른 사람들과 의견을 조율하고, 협력하여 일정을 계획하고 문제를 해결하는 경험은 아마도 색다른 흥미를 심어줄 것이다.

다섯 번째, 긍정적인 태도를 유지하도록 돕는 교육이 필요하다.
리더십 있는 아이는 긍정적인 태도를 유지하고, 부모는 자녀에게 긍정적인 태도를 보이도록 도와주고, 어려움을 극복하고, 성공을 이룰 수 있도록 지원해야 한다.

학교에서 주어진 숙제로 내 아이가 어려움을 겪는다고 가정해 보자. 이때, 부모는 아이에게 "어려움을 마주했을 때도 긍정적인 마음가짐을 갖고 문제에 접근해보자"라고 말하면서, 긍정적인 태도를 보여준다. 또 아이가 자신의 성과를 인정받지 못했을 때, 부모는 아이에게 "너는 노력했고, 그것 자체로 이미 성공한 거야. 다른 사람들의 인정을 받지 못해도 너의 노력은 가치가 있어." 라고 말하면서, 긍정적인 태도를 보여줘야 한다. 부모는 아이가 자신의 노력을 인정하고, 자신감을 가지며 어려움을 극복하고 성공을 이룰 수 있도록 항상 응원해 주어야 한다.

우리는 부모로써 이러한 원칙들을 통해 자녀를 사회에서 신뢰 받는 리더로 성장할 수 있도록 자녀에게 가르치고, 이를 실천하는 모습을 보여주는 것이 중요하다.

유치원 하루 일과를 마치고 아이들과 유치원 버스를 탔다. 나는 즐거운 하루를 보낸 아이들의 얼굴을 보며 함께 웃고 있었다. 그러던 중, 뒤쪽 좌석에서 아이들의 불안한 소리가 들려왔다. "선생님, 선생님!" 아이들이 외쳤다. 뒤를 돌아보니, 한 아이가 입에 거품을 내며 쓰러져있는 것이다. 순간적으로 너무 당황했지만, 빠르게 정신을 차렸다. 원장님께 전화해 아이의 부모님께 연락을 부탁드렸고, 버스 운전기사님에게 긴급 상황임을 알리며 가까운 병원으로 가달라고 말씀드렸다.

나는 그 아이의 옆에 앉아, 아이의 손을 잡고 기도하며 안정을 유지하려고 애썼다. 병원에 도착 하자마자, 의료진이 아이를 신속하게 치료하기 시작했고, 부모님도 병원에 도착하셨다. 알고 보니 하원길 아이는 차 안에서 고열이나 경기(뇌의 정상 전기 활동에 급격한 변화가 발생하여 나타나는 증상)를 했던 것이다. 그날 이후로, 나는 언제나 아이들의 건강에 대해 더욱 신경을 쓰게 되었고, 그 경험은 나에게 큰 교훈을 주었다.

아이들의 웃음소리와 함께 시작된 그 날, 예상치 못한 문제가 일어났다. 이날도 날씨가 너무 좋아 아이들과 함께 바깥 놀이를 하기 위해 놀이터에 갔다. 재미있게 아이들이 뛰어놀던 중 갑자기 놀이터 미끄럼틀에서 한 아이가 넘어져 울고 있었다. 나는 당황하지 않고 빠르게 상황을 파악했다.

아이들에게 안전하게 놀이하도록 가르치는 것은 항상 강조했지만, 이런 사고는 예상치 못한 것이다. 나는 먼저 아이를 안정시키고, 다친 아이를 위로했다. 그리고 빠르게 응급처치를 시작했고, 부모님에게 사고 상황을 알리고 병원으로 데려가는 것이 좋겠다고 말씀드렸다. 이 경험을 통해 나는 문제를 해결하는 능력뿐만 아니라, 문제를 예방하는 능력도 중요하다는 것을 깨달았다. 그리고 아이들에게 안전에 대해 교육하는 것이 얼마나 중요한지를 더욱 깨닫게 되었다. 어린아이들을 가르치는 교사는 모든 것의 달인 이어야 한다. 언제 어디서나 긴급 상황이 생길 수 있다.

교사는, 예상치 못한 문제가 발생했을 때, 빠르고 효과적으로 해결할 수 있는 능력이 필요하다. 이는 문제를 인식하고, 가능한 해결책을 찾아내고, 이를 실행하는 능력이 있어야 한다. 교사는, 아이들이 놀이 중이거나 활동할 때 항상 살펴보고 아이들이 위험한 상황에 부닥치지 않도록 하는 것이 중요하다. 교사는 아이와 부모님과 소통할 수 있는 능력이 필요하다. 이는 문제가 발생했을 때, 상황을 명확하게 설명하고, 필요한 지원을 받는데 도움이 된다.

교사는, 아이들에게 안전에 대해 교육하는 능력이 필요하다. 아이들이 안전하게 행동하는 방법을 알고, 위험한 상황을 피할 수 있

도록 가르쳐야 한다. 이러한 역량을 가진 교사는 아이들의 안전을
보장하고, 위험 상황에 효과적으로 대응할 수 있는 것이다.

03. 실수, 그것은 또 다른 배움의 시작

처음에는 실패와 실수로 인해 좌절하거나 자존감이 훼손될 수 있다. 하지만 그것은 주변의 도움과 격려를 통해 다시 일어나는 배움의 기회가 될 수 있다. 내가 경험한 아이 중 한 아이에 대해 이야기하고자 한다.

항상 완벽하게 모든 하려는 아이. 어느 날 그 아이가 큰 실수를 저질렀다. 그 아이에게는 그것이 인생에서 가장 큰 실패라고 생각했는지 얼마나 낙담했는지 모른다. 또한 이제는 무엇을 해도 소용이 없다고 이야기했다. 나는 그 아이에게 아주, 자주, 많이 이야기 해주었다. "실수는 또 다른 배움의 시작이야."라고.

우리는 내 자녀가 실수하면, 그것을 비판하거나 벌하지 않아야 한다. 스스로 인정하고, 무엇을 배울 수 있는지 함께 고민해 보아야 한다. 이를 통해 자녀는 자신의 실수를 인정하고, 그것을 바탕으로 새로운 것을 배운다. 실수를 통해 배울 수 있는 것은 매우 다양하다. 예를 들어, 자녀가 시험에서 낮은 점수를 받았을 때, 아이 스스로 공부 방법을 다시생각하고, 더욱 노력해야 한다는 것을 배우는 것처럼. 또한, 자녀가 친구와의 갈등에서 실수했을 때, 상대방의 감정을 이해하고, 문제를 해결할 수 있는 방법을 찾아낼 것이다.

부모는 자녀에게 실수를 두려워하지 말고, 그것을 통해 새로운 것을 배울 수 있다는 가치를 가르쳐야 한다.

그럼 자녀가 실수했을 때, 배울 수 있는 가치를 전해주기 위해서는 몇 가지 방법을 제안한다.

첫 번째, 자녀가 실수했을 때, 먼저 그들의 실수를 인정하고 이해해 주어야 한다. 자녀가 실수를 인정하고 반성할 수 있도록 도와주는 것이 중요하고, 이를 통해 자녀는 자신의 행동을 돌아보고, 더 나은 방향으로 나아갈 수 있는 계기가 된다.

두 번째, 자녀가 실수했을 때, 그것을 바탕으로 새로운 것을 배울 수 있다는 것을 알려 주어야 한다. 이를 통해 자녀는 실패를 두려워하지 않고, 새로운 것을 시도하며 성장할 수 있다.

세 번째, 자녀가 실수했을 때, 더 나은 선택을 할 수 있도록 도와주어야 한다. 이를 통해 자녀는 비슷한 상황에서 같은 실수를 반복하지 않고, 더 나은 선택을 할 수 있게 된다.

네 번째, 자기 노력과 성장을 인정해주는 것이 중요하다. 이를 통해 자녀는 자신의 노력이 무색하지 않다는 것을 알고, 더욱 노력하며 성장할 수 있다.

다섯 번째, 부정적인 생각을 주는 것보다 긍정적인 생각을 줄 수 있도록 도와주는 것이다. 이를 통해 자녀는 자신에게 긍정적인 자아 이미지를 가지게 된다.

내가 한 기관에 원장이 되어 처음으로 경험한 이야기다. 어느 날, 다문화 가족이 원을 방문하여 입학 상담을 위해 찾아왔다. 그러나 언어의 장벽과 문화적 차이로 인해 부모님과의 소통에 어려움이 있었다. 이로 인해 충돌이 발생하였지만, 나는 이 문제를 해결하기 위해 언어 교환 프로그램과 문화 교육을 시행했다. 프로그램은 관내 다문화 시설에서 제공 받았다. 언어교육과 문화체험을 통해 더욱 쉽게 적응하고 다양한 문화를 이해하는 데 많은 도움이 되었기에 부모님과의 관계도 개선할 수 있었다.

하지만, 갈등은 완전히 사라지지는 않았다. 나는 계속해서 우리 원 내에서 문화의 다양성과 상호 이해를 증진하기 위해 노력하며, 다문화 가족들과의 소통을 위한 다양한 방법을 모색했다.

부모님과 소통을 하기 위해 교사들과 함께 언어를 배우기도 했다. 원내에서 다문화 가족들이 자신들의 문화를 나누는 행사를 진행했는데 '전통음식 만들기'가 대표적이었다. 이런 체험 활동 등은 서로를 이해하는 데 무척 도움이 되었다.
서로의 차이를 존중하고 이해하는 마음으로 아이와 가족들이 하나로 뭉쳐 더 풍부한 경험을 쌓아나가게 된 것이다.

두 번째 경험한 이야기다. 한 가족이 말이 없는 아이를 데리고 기관에 방문하여 바로 입학 등록을 하러 왔다. 그 아이는 소통이 어려운 상태였고, 이에 대한 걱정으로 부모님과의 면담을 요청했다. 학부모님과의 소통을 통해 기관 내에서 아이의 안전과 적응을 위해 최대한으로 노력했다. 하지만 부모님은 자신들만의 생각과 가치관, 그리고 자녀에 대한 욕구로 이를 모두 수용하고 이해하기는 쉽지 않았다. 하지만 부모님이 아이에게 쏟는 사랑과 열정이 대단했기에 점차 소통의 어려움을 해결할 수 있었다. 또한 나의 경험을 공유하고, 상대방의 이야기를 들어주며, 서로를 이해하고 존중하는 지도자로서 성장하게 되었다.

원장으로 원을 운영하면서 다양한 유형에 학부모님들을 만났다. 모든 학부모님이 달라서, 그들의 다양성을 인정하고 존중하는 것이 중요하다. 다른 문화, 가치, 그리고 가정상황을 이해하고 존중하는 것은 힘들지만 꼭 해야 한다. 학부모님들과의 효과적인 소통은 아이들의 교육에 있어 중요하다. 그래서 학부모님들과 아이들에 대해 정기적인 면담을 했다. 또한 학부모님이 참여할 수 있는 다양한 행사를 제공하여 긍정적인 관계를 구축하는데 노력했다.

한 기관에 원장은 교사들의 노력을 인정하고 의견을 경청하는 것이 필요하다. 서로의 의견을 나누는 것은 원을 운영하는 데 매우 중요한 자산이 된다. 원장은 교사들의 이러한 노력을 존중하고, 의견을 주의 깊게 들어야 한다.

그 뿐만 아니라, 원장과 교사 간의 관계는 서로를 지지하고 신뢰해야 한다. 원장은 교사들이 성공을 이루도록 돕고, 필요한 지원을 제공하여 교육 환경을 향상하는 역할을 하고, 교사들은 원장의 지원과 조언을 받아들이며 협력하는 것이 중요하다.

마지막으로, 원장과 교사는 서로의 경험과 전문지식을 공유하고 함께 성장하고 행복한 환경에서 배울 수 있도록 도와야 한다. 이러한 모든 것을 겸비할 때 비로소 참된 리더가 되는 것이다.

[제4화] 부모로서의 나, 부정적일까? 긍정적일까?

01. 부모의 태도가 자녀에게 미치는 영향

부모로서 자녀를 양육하는 것은 매우 중요한 역할이다. 그러나 부모의 부정적 언어와 자기중심적 양육 방식, 그리고 과도한 간섭과 통제는 자녀에게 부정적인 영향을 미칠 수 있다. 부모의 부정적 언어는 자녀의 자아 존중감을 저하하고, 그들의 성장과 발전을 방해한다. 부모가 자신의 관점에서만 자녀를 바라보고, 아이의 입장을 고려하지 않는다면, 이는 자녀가 자신의 감정과 생각을 표현하는 능력을 저하할 수 있다.

또한, 부모가 모든 것을 간섭하고 통제하려는 태도는 자녀의 자립심과 독립성을 저해할 수 있다. 이는 자녀가 자신의 문제를 스스로 해결하는 능력을 배우는 것을 방해하며, 결국 자신감과 자기 결정력을 저하시킨다. 부모가 자녀의 숙제를 대신해 주거나, 시험 전 자녀의 공부 방법을 강요하는 것은 자녀가 스스로 학습하는 능력을 저하하고, 결국 자신감과 자기 결정력을 저하한다. 또 부모가 자녀의 인간관계에 대해 개입하고 구속하려는 태도를 보인다면, 자녀는 자신의 대인관계를 스스로 관리하고 해결하는 능력을 배우지 못한다. 부모는 자녀의 친구를 선택하거나, 자녀의 연애 관계에 대한 강요를 하지 말아야한다. 따라서 부모로서는 자녀를 양육하는 방식에 대해 신중하게 고려해야 한다. 부모의 언어와 행동은 자녀의 성장과 발전에 큰 영향을 미치므로, 항상 긍정적이고 지지적인 태도를 유지하고, 자녀의 상황을 이해하려는 노력이 필요하다. 이렇게 하면 자녀는 건강하게 성장하고 자신의 능력을 최대한 발휘할 수 있다. 부모로서 자녀에게 부정적 언어는 여러 가지 방식으로 영향을 미친다.

첫째, 부정적 언어는 자녀의 자아 존중감을 저하시킨다. 부모가 자녀에게 비난이나 부정적인 평가를 하면, 자녀는 자신을 부정적으로 보게 된다. 이는 자신감을 잃게 하고, 자신의 능력에 대해 의심하게 만들 수 있다. 부모는 자녀에게 "너는 항상 실패만 한다." "너는 바보 같은 짓을 하는구나"와 같은 부정적인 평가를 한다면, 자녀는 자신의 능력에 대한 자신감을 잃을 수 있다. 이러한 부정적인 언어는 자녀의 자아존중감을 저하하고, 자녀가 자신을 부정적으로 보게 만들어 자신감을 잃게 한다.

둘째, 부모가 자녀의 감정을 부정하거나 무시하면, 자녀는 자신의 감정을 표현하는 것이 잘못 되었다고 생각하게 된다. 이는 자녀가 감정을 적절하게 관리하고 표현하는 능력을 저해한다. 이를테면, 자녀가 슬픔이나 불안감을 느끼는 상황에서 부모가 "왜 그렇게 울어? 그거 별거 아니잖아" 와 같이 감정을 무시하거나 부정적인 평가를 한다면, 자녀는 자신의 감정을 표현하는 것이 잘 못 되었다고 생각할 수 있다. 이러한 부정적인 반응은 자녀가 감정을 적절하게 표현하고 관리하는 능력을 저하시킬수 있는 것이다.

셋째, 부정적 언어는 자녀의 사회적 기술에 영향을 미친다. 부모가 자녀에게 비판적이거나 부정적인 언어를 사용하면, 자녀는 이런 행동을 모방하게 될 수 있다. 이는 자녀가 다른 사람들과 건강한 관계를 유지하는데 어려움을 겪게 만든다. 한 가정에 아버지가 항상 자녀를 볼 때마다 "너는 왜 항상 이렇게 못하니?" 이런 부정적인 말을 늘 듣고 있다고 해보자. 이 자녀는 부모의 이런 행동을 모방하여, 학교에서도 친구들에게 비판적인 언어를 사용하기 시작할 것이다. 그 아이는 친구들에게 "왜 너는 항상 이렇게 못해?"라고 말한다면 친구들과의 관계에서 어려움을 겪게 될 것이다. 친구들은 그 아이의 비판적인 언어 때문에 우리 아이와 거리를 두게 되고, 친구들과 건강한 관계를 유지하는데, 어려움을 겪게 되는것이다. 따라서 부모로서는 항상 긍정적인 언어를 사용하여 자녀를 격려하고 지지해야 한다. 이렇게 하면 자녀는 자신감을 가지고, 감정을 적절하게 관리하고 표현하며, 건강한 사회적 관계를 유지하는데 필요한 기술을 배울 수 있다.

나는 학교생활을 끝내고 집으로 돌아오면 엄마에게 힘들다는 이야기를 자주 하곤 했다. 그럴 때마다 항상 나에게 하시는 말씀은 "윤정아, 너는 정말 잘하고 있어. 너의 노력을 모두 알고 있어."라고 말씀하셨다. 이러한 긍정적인 언어는 나에게 자신감을 주었고, 이런 부모의 행동을 모방하여 학교에서도 친구들에게 긍정적인 언어를 사용하여 친구들과의 관계에서도 긍정적인 영향을 끼칠 수 있었고 더욱 친밀한 관계를 형성할 수 있었다. 내 아이를 건강하게 성장시키기 위해 부모님의 태도는 자녀에게 깊은 영향을 미친다. 부모의 말과 행동은 자녀가 세상을 이해하고, 자신을 인식하는 방식에 큰 영향을 준다. 부모님의 긍정적인 태도는 자녀에게 자신감과 자존감을 심어주며, 부모님의 지지는 자녀가 어려움을 극복하고 세상에 도전하는 힘을 준다.

또한 부모의 태도는 아이들이 교육 기관에서 경험하는 모든 것에 영향을 준다. 부모가 긍정적 이고 지지하는 태도를 보인다면, 아이들은 자신감을 키우고 새로운 것을 시도하는 데 두려움을 덜어낸다. 반면, 부정적이거나 비판적인 태도를 보인 부모는 아이들에게 불안감을 주고 학습에 부정적인 영향을 끼칠 수 있다. 한 가정에 엄마. 아빠가 자녀에게 "다른 아이들은 공부를 잘하는데 너만 못하니?" 이런 이야기를 자주 들으며 성장했다고 하자. 그 아이는 공부에 대한 흥미를 잃게 될 것이다. 또한 시험 성적에 대한 부모님의 비판적인 태도 때문에 시험에 불안감과 학습 능력에 부정적인 영향을미치며, 성적은 점점 떨어지게 될 것이다.

부모가 자녀들의 교육에 관심을 가지고, 긍정적인 태도를 유지하며 학습 과정에 참여할 때, 아이들은 더욱 건강하게 성장하고 교육적인 성취를 이룬다. 그러므로 교육 기관에서 부모와의 협력을 통해 부모들에게 올바른 리더십을 제공하고, 부모가 자녀들에게 긍정적인 영향을 끼칠 수 있도록 지원하는 것이 중요하다.

나는 두 아이를 키운 엄마다. 어느 날 딸이 학교에서 친구들과의 관계에서 어려움을 겪은 이야기다. 어느 날부턴가 딸은 학교생활 중 친구들로 부터 따돌림을 받는 것 같았다. 늘 얼굴에서 힘든 표정이 느껴졌다.

딸의 마음을 이해하고 위로해주기 위해 함께 차를 마시는 것으로 시작했다. 딸이 겪고 있는 어려움에 귀를 기울이고, 딸의 마음에 공감하며 들어 주었다. 속상했지만 같이 울면서 안아주고 괜찮다고 등을 연신 두들겨 주었다. 힘든 상황에서 혼자가 아니라고 계속 말해 주었다. 딸과 함께 서로의 생각을 공유하고 문제의 본질을 파악하면서 현명한 해결책을 찾아 나갈 수 있었다. 자녀와 부모 간의 소통은 가정 내에서의 사랑과 지혜의 교류를 통해 가족을 성장시키는 특별한 과정을 의미한다.

부모와 자녀들이 서로 마음을 열고 소통하는 것은 가정의 행복과 안정에 큰 영향을 미친다. 그 안에는 자녀의 순수한 호기심과 지식의 시작이 담겨 있다. 때로는 말보다는 표정, 몸짓, 심지어는 침묵으로도 이루어진다. 자녀는 부모의 반응을 통해 자신을 이해하고, 안전하고 지지받는 환경에서 자신의 감정을 표현할 수 있다. 따라서 부모의 이해와 적극적인 지지를 자녀에게 듬뿍 주기를 바란다. 또한 소통은 상호 간의 존중과 이해에 기반이다. 부모는 자녀를 경청하고 의견을 존중하는 동시에, 자녀들도 부모의 조언을 받아들이고 이를 고려하는 자세를 갖는 것이 중요하다. 서로를 이해하고 존중하는 관계를 통해 소통은 더 깊어지고 의미 있어진다.

마지막으로, 소통은 자녀의 성장과 발전을 위한 필수 요소이다. 열린 마음으로 대화하고 함께 고민하며, 어려움을 해결해야 한다. 이를 통해 자녀는 자기 생각과 감정을 표현하는 방법을 배우고, 지혜롭게 세상을 바라볼 수 있게 된다. 가정 내에서 자녀와의 소통은 가장 소중한 연결고리다. 이 연결고리안에는 사랑과 이해가 깃들어 있다.

부모는 자녀의 이야기를 경청하고, 자녀의 감정과 생각을 이해하려고 노력해야 한다. 사랑은 자녀와의 소통을 강화하는 동력이다. 부모는 자녀에게 조건 없는 사랑과 지지를 보여 주어야 한다. 자녀가 자신을 부모로 부터 사랑받는 것을 느낄 때, 소통은 더욱 원활하게 이루어질 수 있다. 사랑은 자녀의 자아를 강화하고 자신감과 안정감을 심어준다.

또한, 이해는 자녀와의 소통을 더욱 깊게 만들어 준다. 부모는 자녀의 상황을 이해하려고 노력해야 한다. 자녀의 감정과 경험을 이해하고 공감하는 것은 자녀와 소통을 향상하는 중요한 요소이다. 이해는 자녀의 신뢰를 얻고, 문제 해결을 위한 협력을 도모한다.

자아를 개발하고 독립성 있는 아이로 양육하는 것은 매우 중요한 부모의 역할이다. 이를 위해 부모는 다음과 같은 어떤 노력을 해야 한다.

첫째, 자기 스스로를 발견하도록 도와주어야 한다.
부모는 자녀가 자신의 강점과 흥미를 발견하도록 다양한 경험과 활동을 제공해야 한다. 자녀가 자신의 능력과 관심사를 탐색하고, 발전시킬 수 있도록 말이다. 이를 통해 자녀는 자아를 발전시키고 자부심을 느끼게 될 것이다. 나의 아들은 과학에 관심이 있었다. 그래서 과학 박물관이나 과학실험 캠프를 갈 수 있도록 다양한 기회를 제공해 주었다. 이런 활동을 통해 아들은 자신의 과학에 대한 흥미와 능력을 발견하고 발전시킬 수 있었다.

둘째, 자율성을 존중하고 독립적인 결정을 내리도록 지원해 주어야 한다. 이를테면 자녀에게 책임감과 자기 결정력을 배우게 하여야 한다. 실패와 성공을 경험하여 성장할 수 있도록 도와주는 것이다. 부모는 자녀가 스스로 문제를 해결하고 책임을 질 수 있도록 안전한 환경을 만들어 주어야 한다. 아버지는 나의 유년 시절 자전거를 배우는 과정에서 떨어지고 다시 일어나는 경험을 통해 실패와 성공을 경험하도록 도와주셨다.아버지는 내가 떨어졌을 때 나를 안전하게 보호하면서도, 다시 일어나서 자전거를 타는 방법을 스스로 찾아내도록 도와 주셨다. 이를 통해 나는 실패를 두려워하지 않고, 문제를 스스로 해결하고 책임을 질 수 있는 능력을 기를 수 있었다.

셋째, 긍정적인 피드백과 격려를 아끼지 않아야 한다. 부모는 자녀의 노력과 성과를 인정하고, 긍정적인 말과 격려를 제공해야 한다. 자녀가 자신을 믿고 자신감을 키울 수 있도록 부모는 자녀를 지지하고 격려해야 한다. 이를 통해 자녀는 자신에게 도전하는 용기를 가질 수 있고, 성공과 실패를 통해 성장할 수 있는 것이다. 어느 날 우리 자녀가 시험에서 좋은 성적을 받았을 때, 부모는 자녀의 노력과 성공을 인정하며, 긍정적인 피드백과 격려를 해주고, 부모는 자녀가 시험공부를 열심히 했음을 인정하고, 자녀가 노력한 만큼 좋은 결과를 얻었다는 것을 축하하며, 자녀의 자신감을 높이는 이야기를 해야 한다.

넷째, 적절한 도움과 지원을 부모는 제공해 주어야 한다. 도움이 필요할 때 적절한 도움과 지원을 해주고, 자녀가 어려움에 직면했을 때 부모는 이를 이해하고 필요한 도움을 제공하여 자녀가 스스로 문제를 해결할 수 있도록 돕는 것이 부모의 역할이다. 내 자녀가 학교 체육수업에 어려움을 이야기 한다면 부모는 자녀가 필요로 하는 적절한 도움과 지원을 제공하여 자녀가 스스로 문제를 해결할 수 있도록 돕는 것이 부모의 역할이다.

이러한 부모의 역할을 수행하면서 자녀는 자아를 개발하고 독립성 있는 아이로 성장할 수 있다. 부모의 지속적인 관심과 지원은 자녀의 자아 발전과 성장에 큰 영향을 미치며, 자녀가 자신을 믿고 자신의 잠재력을 실현할 수 있는 것이다.

우리는 인생의 다양한 단계를 거치며 살아가고 있다. 태아기에서부터 시작해 영아기, 유아기, 청소년기, 성인기, 그리고 노년기까지, 이 모든 과정에서 우리는 다양한 경험을 하며 성장하게 된다. 그중에서 가장 중요한 단계 중 하나는 가정을 이루는 것이다. 남자와 여자가 만나 사랑을 나누고, 그 사랑의 결실로 자녀가 태어나 가족이라는 작은 사회를 구성하게 된다. 이 가족은 우리의 삶에서 가장 큰 힘이 되어주며, 동시에 가장 큰 도전이기도 하다.

하지만, 가정에서의 삶은 항상 평화롭지만은 않다. 부부간의 다툼이나 싸움, 갈등으로 가정의 평화를 깨뜨리며, 때로는 주변 사람들에게도 문제를 일으키기도 한다. 부모 간의 다툼이 자녀에게 미치는 영향은 상당히 크다. 부모의 갈등은 자녀에게 불안감과 불안정성을 초래하며, 이는 자녀의 정서적 안정성에 영향을 미칠 수 있다. 자녀가 부모의 다툼을 매일 본다면, 자녀는 부모를 안정의 원천으로보기 때문에, 부모 간의 갈등은 그들의 세계를 불안정하게 만들 수있다. 이로 인해 자녀는 불안장애나 스트레스 관련 문제를 겪는다.

또한 부모 간의 갈등하는 모습을 보고 자라는 자녀는 사회적 기술에 영향을 미칠 수 있다. 부모는 자녀에게 사회적 상호작용을 어떻게 하는지를 가르치는 첫 번째 모델이다. 불안정한 가정에서 양육

받는 자녀는 자아 존중감에도 영향을 미칠 수 있으며, 자신이 사랑 받지 못하고 가치가 없다고 느낀다. 이는 자녀의 자신감과 자아 존중감을 저하하는 원인이 된다.

그럼 부모로서 아이에게 어떤 영향을 주는지 대상관계 이론에 관한 이야기를 잠깐 하려고 한다. 대상관계 이론(Object Relations Theory)은 주로 심리학과 정신분석학에서 발전한 이론으로, 개인의 성격과 행동에 대한 이해를 제시하는 이론이다. 이 이론은 사람들이 어떻게 자아를 형성하고 다른 사람들과의 관계를 어떻게 형성 하는지에 초점을 맞춘다.

주된 개념은 아이의 초기 발달 단계에서 어머니나 주된 양육자와의 관계가 성격 형성에 큰 영향을 미친다는 것이다. 이론은 객관적 실재보다는 사람들이 다른 사람과의 관계를 통해 자아를 형성하고 발전시키는 과정에 주목한다. 예를 들어, 이론은 초창기 아이가 어머니나 주된 양육자와의 상호작용을 통해 내부화된 대상 관계를 형성한다고 설명한다. 이후 이러한 대상 관계가 다른 사람들과의 관계에 영향을 주며 성격 및 행동에 영향을 미치게 된다.

대상관계이론은 정신분석학에서 중요한 개념으로 여겨지며, 개인의 정서적 발달과 심리적 건강에 대한 이해에 이바지하는 중요한 이론 중 하나이다. 그럼 대상 관계가 충분히 형성되지 않은 아이들은 정서적, 사회적, 행동적인 문제를 겪을 수 있는가? 그렇다. 몇 가지 문제행동으로는 다음과 같은 것들이 나타난다.

첫 번째, 대상 관계가 부족하거나 부적절하게 형성된 아이들은 다른 사람들과의 관계에서 이탈하거나 고립되기 쉽다. 사회적으로 고립되거나 친구들과의 관계에서 문제를 겪을 수 있다.

두 번째, 감정을 적절하게 이해하고 조절하는 능력이 부족할 수 있다. 감정의 폭이 크거나 제어가 어려운 행동을 보이는 경우다.

세 번째, 아이들은 자아의 안정성을 유지하는 데 어려움을 겪을 수있고, 이로 인해 정체성에 관한 문제나 자아개념의 혼란이 발생할 수 있다.

네 번째, 일부 아이들은 대상 관계가 미흡하거나 불안정할 때 공격적이거나 문제가 있는 행동을 보일 수 있고, 다른 사람이나 자기자신에 대한 공격적 행동이나 규칙을 어기는 행동이 포함될 수 있다. 이러한 행동들은 아이의 대상 관계에 대한 부족으로 인해 발생할 수 있으며, 정서적 안정성과 사회적 적응에 영향을 미친다. 현대 사회에 있는 부모에게 나는 어떤 부모인지? 물어보고 싶다. 혹시 나는 대상 관계가 이루어지지 못한 아이로 만들고 있지는 않은지? 그래서 나는 우리 아이에게 재앙을 물려주고 있지 않은지 물어보고 싶다. 우리는 공 교육의 위기를 목격하고 있다. 유치원 부터 고등학교에 이르기까지, 학생들이 선생님을 비판하고, 부모님이 교육 과정에 개입하는 등의 문제가 빈번하게 발생하고 있다. 이러한 상황은 선생님들에게 큰 부담을 주며, 공 교육의 본질을 훼손시킨다.

문제의 근원은 가정에서 시작된다. 가정은 최초의 교육 기관이며, 아이들은 부모님으로부터 가장 먼저 배운다. 부모님의 태도와 행동은 아이들에게 큰 영향을 미치며, 부모님의 교육 방식은 아이들의 사회적 행동에 큰 영향을 미친다.

부모님은 아이들에게 문제를 스스로 해결하는 능력을 키우게 하는것이 중요하다. 그러나 많은 부모는 이를 잊고, 대신 아이들의 문제를 해결하려고 한다. 이는 아이들이 독립적인 생각을 가지고 문제를 해결하는 능력을 키울 수 없게 만든다.

따라서 부모들은 아이들이 스스로 문제를 해결할 수 있도록 도와주는 역할을 해야 한다. 이는 아이들이 성장하면서 겪게 될 다양한 일들을 스스로 해결하는 능력을 키우는 것이다. 부모는 아이에게 올바른 가치관을 심어주는 첫 번째 교육자이며, 아이 스스로 문제를 해결할 수 있는 능력을 키우는 가장 중요한 멘토이다.

이는 공 교육의 본질과도 깊은 연관이 있다. 공 교육의 핵심적인 목표는 아이에게 지식을 전달하는 것뿐만 아니라, 문제를 해결하는 능력을 갖추도록 돕는 것이다. 따라서 부모님은 아이의 성장과 발전에 있어 공 교육의 본질을 보완하고 강화하는데 중추적인 역할을 해주기를 바란다. 아이가 성장하면서 겪게 될 다양한 문제들을 스스로 해결하는 능력을 키우고, 아이들이 건강하게 성장할 수 있도록 말이다.

[제5화] 정말 좋은 부모가 되기 위한 가이드

01. 내 아이와 다른 아이, 그 비교의 함정

28년 교육 현장에서 아이들과 함께 하면서, 부모들이 자녀를 다른 아이들과 비교하는 것을 자주 목격했다. 이는 과거부터 현재까지 변하지 않는 현상이다. 부모들은 자녀의 발달 과정에서 다른 아이들과의 차이를 민감하게 비교한다. 언어 발달이 느린 아이, 키가 작은 아이, 한글을 늦게 배우는 아이 등, 이러한 차이들은 부모에게 스트레스를 주고, 이 스트레스는 종종 아이에게도 전달된다.

나는 최근 한 학부모로부터 상담 요청을 받았다. 부모는 자신의 아이가 다른 아이들과 다르며 똑똑하고 천재라고 표현했다. 하지만, 교육적 관점에서 보면, 이 아이는 언어 표현과 친구들과의 관계, 그리고 선생님과의 소통에서 어려움을 겪고 있었다. 부모님과 상담하면서 어려웠던 것은 부모 자신이 상담 내용을 받아들이려고 하지 않는다는 것이다. 오히려 부모는 자신의 아이와 다른 친구들과 수준이 맞지 않아서 이런 행동을 한다고 이야기했다. 또한 큰 형님 반으로 보내달라고 까지 말했다.

이러한 상황은 교육자로서 매우 어려운 상황이다. 부모님의 기대와 아이의 실제 상황 사이의 격차를 어떻게 좁힐 수 있을까? 이는 부모님과의 소통과 교육, 그리고 아이의 개별적인 성장 과정을 이해하는 것이 중요하다.

아이들은 각자의 속도와 방식으로 성장하며, 이는 모든 정상적인 발달과정의 일부이다. 따라서 내 아이 다른 아이를 비교하는 것은 매우 위험한 일이며, 우리 자녀에게 부정적인 영향을 미칠 수 있다.

첫째로, 비교는 아이의 자존감을 낮출 수 있다. 자녀가 다른 아이들과 비교되어 뒤처지거나 부족한 부분이 있다는 것을 느낄 경우, 자신에 대한 부정적인 생각이 생길 뿐 아니라, 학업 성취도와 사회성 발달에 영향을 미칠 수 있다.

둘째로, 비교는 아이와 부모의 관계에도 부정적인 영향을 준다. 부모가 자녀를 다른 아이들과 비교하면, 자녀는 부모의 사랑과 인정을 받지 못한다는 느낌을 받는다. 이는 부모-자녀 간의 신뢰에 큰 영향을 미친다.

셋째로, 내 아이와 다른 아이들과 비교되면, 우리 아이는 다른 아이들과 경쟁하게 된다. 이는 아이의 성격과 태도에 영향을 주고, 친구들과의 관계에도 부정적인 영향을 준다. 예를 들어서 내 아이 친구가 새로운 수학 문제를 먼저 풀어내거나, 체육 시간에 더 빠르게 달리는 것을 보면서 부모가 비교하기 시작한다면, 우리 아이는 스트레스를 받고 경쟁하게 된다. 자신의 능력을 인정받지 못한다고 느끼며 자신의 가치가 떨어진다고 느껴질 것이다.

그리고 비교하는 친구와 놀고 싶지 않을 것이고 친구들과 거리를 두기 시작할 것이다.

누군가와 경쟁하면 자신을 보호하기 위해 친구들과의 관계를 피하게 된다. 따라서 부모는 자녀를 다른 아이들과 비교하는 것을 피해야 한다. 대신 자녀의 개별적인 성장과 발달에 초점을 맞추어야 하며, 자녀의 능력과 잠재력을 인정하고 존중해야 한다. 이는 자녀의 건강한 성장과 발달을 돕는데 중요한 역할이다.

우리 자녀가 성장하는 데 있어서, 친구들과의 관계에서 배려는 매우 중요하다. 배려는 다른 사람의 감정, 필요성, 그리고 상황을 이해하고 존중하는 것을 의미한다. 친구들과 관계에서 행동과 말들이 다른 사람에게 어떤 영향을 미칠지 고려하며 상대방의 입장에서 생각하는 것이 배려의 핵심이다. 친구들과 함께 지내면서 서로 배려하고 존중하는 태도를 보이면, 자녀는 사회성을 발달시키고, 친구들과의 관계를 더욱 강화할 수 있다.

또한, 자녀가 배려하는 태도는 사회관계에서도 매우 중요하다. 자녀가 타인에게 배려하고 존중하는 태도를 보이면, 타인과 좋은 관계를 유지할 수 있다. 이는 자녀가 성인이 되어 사회에서도 살아가는 데 있어서 매우 중요한 요소이다. 마지막으로, 자녀가 어른들과의 관계에서 예의 있는 행동을 보이는 것도 중요하다. 부모가 자녀에게 예의와 절도, 인내심 등을 가르치면, 자녀는 어른들과의 관계에서도 예의를 지키고, 인내심을 가지며, 절도를 지키게 된다. 이는 자녀가 사회에서 성공적으로 살아갈 수 있도록 돕는데 중요한 역할을 한다.

어느 날 내 자녀가 친구와 싸웠다고 가정해 보자. 그런데 부모가 자녀에게 인내심을 가르쳤다면, 아이는 화를 참고 상황을 진정시키려 할 것이다. 내 자녀는 친구와의 갈등을 해결하는 데 필요한 대화를 이어나갈 수 있다. 이런 경험은 우리 자녀가 성인이 되어서도 유용하게 쓰일 것이다.

또한, 내 자녀가 선생님에게 질문을 할 때 "선생님, 제가 이해가 안 가는 부분이 있는데요…."라고 말하며, 선생님은 우리 아이의 예의 있는 태도를 칭찬하게 될 것이다. 따라서 부모는 자녀에게 친구들과의 관계에서 배려하는 마음을 가지고, 어른들과의 관계에서 예의를 지키는 것의 중요성을 가르쳐야한다. 이는 자녀가 건강하게 성장하고, 사회에서 성공적으로 살아갈 수 있도록 돕는데 큰 역할을 한다. 그럼 우리 아이가 친구들과 어울릴 때 배려하는 마음을 갖도록 교육하는 방법은 무엇이 있을까?

첫째, 부모가 모범을 보여주는 것이다. 부모가 자녀에게 타인에 대한 배려와 존중하는 태도를 보여주면, 자녀도 그러한 태도를 따라 한다. 부모는 자녀와 함께 지내면서 친구와 이웃 등 타인에 대한 배려와 존중하는 태도를 보여줘야 한다.

둘째, 아이에게 배려하는 태도에 관해 이야기 해주는 것이다. 부모는 자녀와 함께 이야기하면서 친구들과 어울릴 때 어떻게 배려하는 태도를 보이는 것이 좋은지 타인에 대한 존중과 이해를 보여주는 것이 왜 중요한지 등 이야기 해주어야 한다.

셋째, 자녀가 친구들과 함께하는 상황에서 적극적으로 개입하면서 배려하는 태도를 보이도록 유도해야 한다. 부모는 자녀가 친구들과 함께 놀 때, 상황에 따라서 적극적으로 개입하고, 자녀에게 배려하는 태도를 보여줄 수 있다.

예를 들어, 친구들이 서로 싸우거나 갈등이 생겼을 때, 부모는 자녀에게 갈등을 조정하거나 상황을 해결하는 방법을 가르쳐 줌으로써, 자녀가 배려하는 태도를 보이도록 유도할 수 있다. 예의는 상대방에게 존중과 매너를 갖추는 것으로, 상대방을 대하는 태도와 행동을 말한다. 배려는 상대방의 입장에서 생각하며, 그들을 위해 노력하고 책임을 지는 것이다. 우리 아이가 예의와 배려를 가진다면, 상대방도 서로를 존중하고 배려한다. 이는 인간관계에서 매우 중요한 것이며, 더 나아가 사회적으로도 중요하다. 학교나 직장에서는 상대방을 배려하고 존중하는 태도가 필수적이며, 이는 성공적인 인간관계를 유지하는 데 매우 중요하다.

예의와 배려를 가진 아이는 자신과 타인의 감정을 이해하고 존중할 수 있으며, 타인과의 관계에서 더 많은 긍정적인 경험을 할 수 있다. 친밀감과 신뢰는 더불어서 온다. 따라서 예의와 배려는 우리 아이에게 중요한 가치이며, 부모는 자녀에게 이러한 가치를 실천할 수 있도록 도와야 한다.

자녀를 위한 기도

- 하나님 우리 자녀가 예의와 배려를 중요하게 생각하며, 다른 사람들에게 늘 친절하고 배려하는 사람이 되기를 기도합니다.

- 우리 자녀가 자신의 행동이 다른 사람들에게 어떤 영향을 미치는지를 이해하고, 행동이 항상 긍정적인 영향을 끼칠 수 있도록 돕는 힘을 주세요. 다른 사람을 존중하며, 서로 다른 문화와 배경을 가진 사람들과도 친구가 될 수 있는 마음을 가지도록 도와주세요. 모든 사람을 사랑하고 이해하며, 이를 실천할 수 있는 능력을 갖추도록 힘을 주시옵소서.

- 우리 자녀가 어려움을 겪을 때, 다른 사람들에게 도움을 주는 것이 얼마나 중요한지를 알고, 언제나 자신의 힘으로 도움을 줄 수 있는 사람이 되기를 기도합니다.

- 우리 자녀들이 자신의 능력과 재능을 발휘하며, 세상을 더 나은 곳으로 만들기 위해 노력할 기회를 주시기를 기도합니다.

나를 사랑하시는 하나님

저희 자녀들이 자라면서,

살아가면서

좋은 친구,

좋은 선배,

좋은 선생님,

좋은 영적 지도자를 만날 수 있도록 도와주시옵소서.

우리 자녀들이

자기를 밀알처럼 썩혀서

다른 사람을 성공하게 하는

좋은 지도자가 되게 축복하시고

이 세대와 오는 세대에 좋은 영향을 끼치고

하나님 품 안에 늘 안길 수 있도록 지켜주시고

함께 하여 주십시오.

03. 도덕과 원칙, 자녀교육의 핵심 가치

아들이 중학교 2학년 시절 어느 날, 일을 하는 중 학교에서 전화가 왔다. 선생님은 체육 시간에 친구와 싸움이 일어났고, 결과적으로 내 아들이 친구에게 주먹으로 얼굴을 맞아 병원에서 수술 중이라고 하셨다. 심장이 두근거리는 상황에서, 나는 아들을 때린 부모를 만나게 되었고, 상대방 부모는 나를 보자마자 말했다. "얼마면 되겠어요?" 하며 돈으로 문제를 해결하려 했다. 이어서 그 부모는 맞기보다 때리라고 가르쳤다며 얼마나 당당하게 이야기를 하는지 나를 당황하게 했다.

나는 그 순간, 아들을 때린 부모의 행동이 얼마나 잘못되었는지를 알았다. 그 부모에게는 도덕적 가치를 배울 수 없었을 것이다.
자녀교육에서 도덕과 원칙은 중요한 요소이다. 도덕은 개인의 행동과 가치 판단에 영향을 미치는 원칙과 가치관을 나타낸다. 부모는 자녀에게 도덕적인 행동과 윤리적인 원칙을 가르치는 것이 중요하다. 그럼 자녀에게 도덕적인 가치를 가르치기 위해서는 먼저 부모 스스로가 그 가치를 이해하고 인식해야 한다. 선량, 정의, 인내, 존중 등의 가치를 부모는 실천하고 보여 줌으로써 자녀가 배울 수 있도록 해야 한다.

부모는 자녀가 따라올 수 있는 모범이 되어야 한다. 부모의 행동이 자녀들에게 도덕적 원칙을 보여줄 수 있도록 노력해야 한다. 더불어 자녀에게 개인적 책임을 가르쳐야 한다. 그들이 자신의 행동에 대한 책임을 이해하고 그에 따른 결과를 받아들일 수 있도록 도와야 한다. 타인을 존중하고 배려하는 마음가짐을 가르쳐야 한다. 자녀들이 다른 사람들의 감정과 상황을 이해하고 존중할 수 있도록 지원해야 한다. 도덕적인 선택과 행동에 대한 지식을 전달할 뿐만 아니라 자녀들에게 어떤 상황에서 올바른 선택을 하는 방법과 그 중요성을 가르쳐야 한다.

도덕과 원칙은 자녀의 성장과 인격 형성에 큰 영향을 미치며, 이를 통해 자녀들이 사회적으로 책임 있는 시민으로 자리매김 할 수 있도록 지원하는 것이 부모의 역할 중 하나이다. 도덕과 원칙을 잘 배운 아이가 사회인으로서 얼마나 중요한지는 무한히 중요한 주제이다.

도덕적 가치와 원칙을 배운 아이는 자연스럽게 책임감 있는 사회인으로 자란다. 타인을 존중하고 도움을 주며, 사회적 문제에 대해 민감하고 책임을 질 수 있는 능력을 갖추게 된다. 도덕적 교육을 받은 아이는 윤리적인 선택을 할 수 있는 능력을 키워 나가며, 이는 그들이 사회적인 상황에서 리더십을 발휘할 수있는 기반을 제공한다. 도덕적 가치를 이해하고 실천하는 아이는 타인과의 관계에서도 좋은 인상을 주며, 원활한 대인관계를 구축할 수 있다.
또한 도덕적 원칙을 배운 아이는 지속해서 성장하고 발전하려는 의지를 갖게 된다. 새로운 지식과 경험을 바탕으로 자기 계발을 추구하며, 개인적인 성장과 사회적 발전에 이바지하게 된다.

결국 도덕과 원칙을 잘 배운 아이는 사회적으로 더 나은 변화를 이끌고, 상호 존중과 이해, 책임감 있는 사회인으로서의 역할을 수행한다. 그래서 포용적이고 발전적인 공동체를 이끌어 나갈 수 있는 미래의 지도자가 될 것이다. 자녀교육에 있어서 매우 중요한 핵심 가치는 다양하다. 하지만, 그중에서도 가장 중요한 것은 "사랑"이다. 부모가 자녀를 사랑하고, 자녀의 성장과 발전을 위해 최선을 다하는 것이 가장 중요한 가치다.

그 밖의 또한 중요한 것은 "존중", "성실", "자기 주도적 학습", "창의성", "인내심", "자기성찰" 등이다. 이러한 가치들은 자녀가 성장하면서 필요한 능력과 태도를 배우게 해주며, 자녀가 미래에 성공적인 삶을 살아 갈 수 있도록 도와주는 것이다. 마지막으로 우리 부모들이 자녀교육에 있어서 중요하게 생각해야할 것은 "예의"이다. 자녀가 다른 사람들과 함께 살아가는 사회에서는 예의와 배려가 매우 중요하다. 다른 사람의 생각과 감정을 존중하고 배려하는 마음을 가지도록 가르치며, 자녀는 타인과의 대화에서 타인을 이해하고 존중과 배려의 가치를 가르치는 것은 자녀교육에서 매우 중요한 가치다.

종교에는 자유가 있다. 나는 어린 시절부터 교회를 다녔으며, 지금은 마포에 있는 성현교회에서 교회 생활을 하고 있다. 얼마 전 내가 존경하는 최재호 목사님이 부모와 자녀와의 관계에 대해 설교를 하셨다. 자녀는 부모의 소유권이 아니며, 부모는 자녀를 대리만족의 대상으로 생각해서는 안 된다고 하셨다. 이는 자녀교육에 대한 궁극적인 책임은 아버지에게 있다는 것을 의미한다. 이는 가장이 가족의 지도자이기 때문이라는 것이다.

이러한 말씀은 부모와 자녀 간의 관계를 더욱 깊게 생각하게 했다. 부모는 자녀를 대리만족의 대상으로 생각하지 않고, 자녀의 교육과 성장을 위해 최선을 다해야 한다는 것을 다시 한번 깨닫게 한 시간이었다.

자녀의 감정과 요구를 이해하고 지지하는 부모는 자녀의 성장과 발전에 매우 중요한 역할을 한다. 이러한 부모는 자녀가 어떤 감정을 느끼고 있는지 이해하고, 그 감정을 받아들이며 지지해준다. 자녀의 요구를 이해하고 가능한 한 수용해 주려고 노력할 것이다.

또한 자녀가 어떤 어려움이나 문제를 겪을 때, 이를 들어주고 이해 해주며 함께 문제를 해결하려고 노력한다. 이렇게 함으로써 자녀는 자신의 의견을 표현하고 싶을 때, 이를 존중하고 받아들이며 자녀가 자기 생각을 자유롭게 표현할 수 있게 된다.

부모는 자녀의 자립심을 존중해야 한다. 자녀가 스스로 문제를 해결하고 성찰할 수 있도록 도와주며, 자녀가 자신의 삶을 스스로 책임지도록 격려한다. 또한, 자녀의 능력과 가능성을 인정하며, 자녀가 원하는 길을 따르도록 도와주어야 한다. 자녀의 감정과 요구를 이해하고 지지하는 부모는 자녀와의 관계를 더욱 깊게 만들며, 자녀의 성장과 발전에 큰 도움을 줄 것이다. 자녀의 감정과 요구를 이해하는 부모는 어떤 장점이 있을까?

첫 번째, 자녀는 자신의 감정을 표현하는 데 어려워하지 않는다. 부모가 자녀의 감정을 이해하고 공감해주면, 자녀는 자신의 감정을 표현하기가 더욱 쉬워진다.

두 번째, 부모와 자녀 사이의 신뢰감이 높아진다. 자녀가 부모에게 자신의 감정을 표현할 수 있고, 부모는 그것을 이해하고 공감해줄 수있다면, 자녀는 부모에게 더욱 신뢰감을 가질 것이다.

세 번째, 부모가 자녀의 요구를 이해하고 수용해주면, 자녀는 자신의 의견을 존중 받는다고 느낄 수 있다. 자녀는 자신에대한 자신감을 가질 수 있을 것이다. 우리가 부모가 되는 것은 선택이 아니다. 그럼 자녀를 지지해주는 부모가 되기 위해서는 어떤 노력을 해야할까?

- 자녀의 마음에 소리를 듣고 이해하려고 노력하고, 열린 마음으

로 대화하며 서로의 의견을 존중하는 것이 필요하다.

- 자녀가 자신을 표현하고 자신감을 키울 수 있도록 도와줘야 한다.
- 자녀의 노력과 성과를 칭찬하고, 어려움을 부딪쳤을 때는 격려와 도움을 주어야 한다.
- 자녀가 배우고 자라는 환경을 지원해야 한다. 학습에 관심을 갖고, 책임감 있게 지식을 전달하고 가르쳐주는 것이 중요하다.
- 자녀들에게 안전하고 건강한 한계와 규칙을 제공하여 적절한 행동과 책임감을 느끼도록 도와주어야 한다.
- 자녀와 함께 보내는 시간은 가장 소중한 것 중 하나이다. 자녀가 함께하는 활동에 참여하고, 관심과 애정을 보여주는 것이 중요하다.
- 부모 자신도 계속해서 성장하고 배우는 모습을 보여주어야 한다. 자녀에게 모범이 되어야 하며, 자기 관리와 문제 해결 능력을 향상시켜야 한다.
- 자녀의 감정과 관심사에 대한 이해를 보여주고, 자녀가 성장과 발전을 지켜보며 필요한 경우 도움을 주어야 한다.

부모가 되는 것은 매우 중요한 책임이다. 사랑하는 사람과 결혼하고 소중한 아이를 낳아 부모가 되는 것을 정말 아름다운 일이다. 처음으로 운전을 배울 때와 마찬가지로, 부모가 되는 순간에도 우리는 많은 시행착오와 경험을 통해 부모로서 해야 할 역할을 능숙

하게 수행하게 될 것이다. 모든 부모는 자신의 자녀를 다른 아이들보다 더욱 특별하게 키우고 싶어 한다. 부모와 자녀는 함께 성장하며 많은 것을 배우고 경험한다. 무엇보다도, 어떤 부모가 우리 자녀에게 좋은 부모 인지에 대해 항상 생각해야 한다. 부모의 책임은 크지만, 우리는 과연 그 책임을 잘 수행하고 있는지 돌이켜 볼 필요가 있다. 나는 어떤 부모일까?

자녀를 위한 기도

나를 고쳐 주소서

저는 가끔 자녀를 나의 투자의 대상으로 여기는 착각을, 나의 삶을 자녀에게서 보상 받으려는 유혹을, '다 너를 위한 것이다' 라고 하면서 궁극적으로 나 자신을 위해 그리하여 자녀가 나에게 속해 있지만 내 것이 아님을 깨닫게 하시고, 나에게 부모의 권리보다는 의무로, 자녀의 성장보다 내가 먼저 성숙해짐으로 자녀를 훈계할 수 있는 부모가 되게 하소서. 자녀를 이끌어주되 강요하거나 협박하지 않으며, 자녀를 돕되 대가를 기대하지 않으며, 자녀들이 누릴 수 있는, 실패할 수 있는 자유와 선택할 수 있는 권리를 빼앗지 않는 부모가 되게 하소서. 자녀의 슬픔과 기쁨을 가볍게 취급하지 않고, 자녀의 성공과 실패를 과소 평가하지 않고, 자녀의 하찮은 질문과 사소한 행동 방식에도 진지하게 매사에 자녀를 존중함으로 존경받는 부모가 되게 하소서.

하나님, 부모로서 자녀를 키우는 책임은 매우 큰 것입니다. 하지만 우리는 자녀의 마음을 완전히 이해할 수 없습니다. 우리 자녀의 마음을 읽어주는 부모가 되기를 간구합니다.

내가 자녀를 키우는 동안, 자녀의 마음을 읽어주는 능력을 부여해 주시고 자녀와 함께 대화할 때, 자녀가 말을 하지 않아도 무엇을 생각하고 느끼는지 이해할 수 있도록 해주소서.

부모는 자녀에게 충분한 관심과 사랑을 보여줄 수 있도록 해주시고 자녀가 어려움을 겪을 때, 자녀의 곁에서 함께 울고, 함께 웃을 수 있는 부모가 되길 원합니다. 하나님 자녀의 마음을 읽어주는 부모가 될 수 있도록 자녀를 키우는 동안, 자녀가 행복하고 건강하게 자라날 수 있는 축복을 주소서.

에필로그

"싸가지 있는 부모의 자녀 양육법"이라는 제목은 부모가 자녀를 양육하는 과정에서 싸가지 있는 태도를 보일 것을 권장합니다.

이 책은 부모가 자녀를 양육하는 방식에 대한 새로운 시각을 제시하며, 양육의 과정에서 부모가 자녀와 함께 성장해 나가는 방법을 탐색합니다.

에필로그에서는, 부모가 자녀를 양육하는 과정에서 싸가지 있는 태도를 보이는 것이 왜 중요한지를 이야기합니다.

부모는 자녀에게 예의와 존중을 가르치고, 함께 성장하고 발전할 수 있도록 지원해야 합니다. 그러나 부모가 자녀를 양육하는 과정에서 싸가지 없는 태도를 보이면, 자녀는 부모와의 관계에서 불안정함을 느끼게 됩니다.

이 책은 부모와 자녀 사이의 관계에 대한 새로운 시각을 제시하며, 부모가 자녀를 양육하는 과정에서 겪는 다양한 도전과 시행착오에 관해 이야기합니다. 이는 부모와 자녀가 함께 성장하고, 서로를 이해하고 존중하는 방법을 제시합니다.

"싸가지 있는 부모의 자녀 양육법"은 부모와 자녀가 서로를 더 잘 이해하고, 서로에게 더 많은 존중과 사랑을 보여주는 방법을 제시하는 도전적인 가이드입니다. 이 책을 통해 부모와 자녀 모두가 자신의 관계를 재평가하고, 더 풍요로운 관계를 만들어나갈 수 있기를 바랍니다.

사랑하는 우리 아이를 보고 있으면

세상은 더욱 빛나는 것 같아
그 눈빛 속에 담긴 순수한 미소와
따스한 품에서 온기를 느끼면
어린 시절의 나를 떠올리곤 해

사랑하는 우리 아이를 보고 있으면
내 마음은 늘 따뜻해지고
그 작은 손길 하나하나가
내 삶에 더욱 큰 의미를 불러일으켜

세상은 언제나 변해가지만
우리 아이의 사랑은 변함이 없이
그 미소와 함께하는 순간들은
내게 가장 소중한 보물이 되어

내 삶은 더욱 풍요로워지고
사랑은 더욱 깊어져 가는 것 같아
사랑하는 우리 아이와 함께라면
세상은 언제나 더욱 아름답게 빛날 거야.

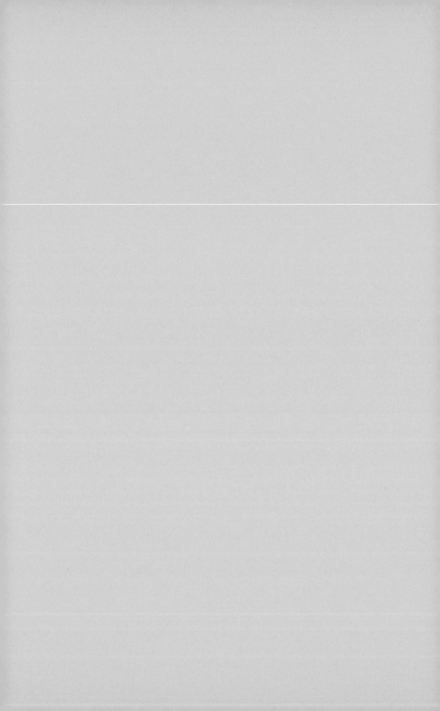